Een beer

Geertje Gort
met tekeningen van Peter van Harmelen

  Zwijsen

Het bad is nat

Beer is bang.
Bang voor het bad!
Brr, brr, het bad is nat.

Aap gaat in bad.
Het bad is nat!

Beer voelt met zijn teen.
Aap pakt zijn been.
Beer roept: 'Nat doet zeer.'

Badschuim

O, o, die domme Beer!
Nat doet echt niet zeer.

Ol wil ook graag in bad.
Hij spuit badschuim in het nat.
Hij roept:
'Beer wees toch niet bang!'

Maar wat zegt Beer?
'Bah, nat doet zeer.'

Wie gaat er in het bad?

Is dat Wolfje?
Gaat hij ook al in het bad?
Nee, hij maakt zijn kopje nat.
En zijn pootjes, maar niet meer.

'Zie je dat!' roept Beer.
'Wolfje gaat ook niet in bad.
Nee, o nee, nat doet zeer.'

Mag Rat in het bad?

Daar komt Rat aan.
Wil Rat in het bad?
Beer kijkt naar Aap.
Aap kijkt naar Ol.

Mag Rat wel in het bad?
Rat vraagt het niet.
Hij neemt een duik.

En wat zegt Beer?
'Pas maar op, nat doet zeer.'

Een vreemd dier

Er zwemt een vreemd dier in het bad.
Is het een muis?
Is het een mol?
Nee!

'Wat ben jij voor een beest?' vraagt Beer.
'Ik heet Goudvis,' zegt de vis.
'Vind je het bad dan niet te nat?'
'Nee,' zegt Goudvis.
'Een vis moet zwemmen.'

Beer zucht en zucht.
'Brr, brr, brr, nat doet zeer.'

De droom van Beer

Daar komt Vos aan.
Hij heeft een handdoek.
Hij heeft een zwembroek!
'Ik ga in bad,' zegt Vos.
'Zeep jij mij in, Aap?'

In het gras ligt Beer.
Hij droomt van nat en bad.
Help, nat doet zeer.

Wat, wat, bad, nat?

Vos is lekker schoon.
'Was je in het bad?' vraagt Bok.
'Was het niet te nat?'

Bok loopt naar het bad.
'Beer, wil jij soms in het bad?'

'Wat, wat?
Bad, nat?
Nee, nee, nee, nat doet zeer.'

De schuimbok

Bok zet een poot in het bad.
'Wacht,' zegt Ol.
'Ik spuit jou nat.
Wil je badschuim, Bok?'

Ol spuit en spuit.
'Nu ben ik een schuimbok,' zegt Bok.

Beer kijkt sip.
Hij durft niet in het bad.
Nee, nee, veel te nat!

Nat doet zeer!

Ku-ke-le-ku

Daar komt Haan aan.
'Ik wil in bad,' zegt Haan.
'Dat kan toch niet,' zegt Aap.
'Het bad is veel te diep.'
'Het is ook te nat,' zegt Beer.

'Ku-ke-le-ku,' roept Haan.
En hij duikt in het bad.
'O!' roept Beer.
'Dom, wat dom, nat doet zeer.'

Daar is Kip

Haan is drijfnat van het bad.
'Je moet in de zon,' zegt Beer.
'Dan word je weer droog.'

Daar komt Kip aan.
'Wil je in bad, Kip?' vraagt Haan.
'O nee,' zegt Kip.
'Een kip hoort niet in het bad.'

Beer knikt.
'En een beer ook niet,' zegt hij.
'Nee, zeg, nat doet zeer.'

Borrel, borrel ...

Borrel, borrel, doet het bad.
Wie zit er nu weer in het nat?
'Een gek dier!' zegt Beer.
'Hoe heet je dan?' vraagt Aap.

'Zeehond,' zegt het dier.

'Is het waar?' roept Beer.
'Ik zag nog nooit een zeehond.
Kom toch uit dat bad!
Nat doet zeer!'

Het liedje van zeehond

Zeehond zingt een liedje.
Een liedje van het bad.

Ik ben o zo dol op nat.
Ik zwem op mijn rug.
Ik zwem op mijn buik.
Ik blijf heel lang in bad.

Een piepklein beestje

Er zit een beestje in het bad.
'Ben je een mug?' vraagt Beer.
'Ben je een mol?' vraagt Aap.

Het diertje lacht.
'Ik ben Slak.
Ik was mijn huisje schoon.
Ik draag het op mijn rug.'

Beer zucht.
Doet nat niet zeer?

Is Beer vies?

Beer denkt diep na.
Aap is schoon.
En Ol en Wolfje en ... en ...
Ben ik vies?

Beer krabt op zijn kop.
Hij voelt aan zijn vacht.
Zijn vacht kleeft!

Maar ... NAT DOET ZEER!!

Beer is zoek

Aap kijkt in het bad.
Zit Beer in het nat?
Nee, Beer durft niet in bad.

Aap gaat op zoek naar Beer.
'Wolfje, weet jij waar Beer is?
Ol, waar is Beer?'

Beer is weg.

Koe-koe-roe

Aap zoekt in het bos.
Wolfje en Ol gaan mee.
Aap klimt hoog in een boom.
Nu kan hij het bos goed zien.

Daar zijn Vos, Bok, Mus en Duif.
Maar waar is Beer?

Duif zit op een tak in de boom.
'Koe-koe-roe,' doet Duif.
'Ik weet waar Beer is.'

Wie zit er in bad?

'Ik dronk uit het bad,' zegt Duif.
'En wie zat er in dat bad?
BEER!'

'Beer?' roept Aap.
'Beer?' roepen Ol en Wolfje.
'Ja, Beer,' zegt Duif.

Ze rennen naar het bad.
Aap, Ol en Wolfje.

Feest

En ja hoor, Beer zit in het bad.
Met schuim op zijn kop.
Met schuim op zijn lijf.

De dieren staan bij het bad.
Het lijkt wel feest.

'Doet nat niet zeer?' vraagt Aap.
'O, nee!' zegt Beer.
'Ik voel me schoon.
Ik ben niet meer vies.
Nat is fijn!'

sterretjes bij kern 10 van Veilig leren lezen

na 28 weken leesonderwijs

1. Hee, een fee
Femke Dekker en Jolet Leenhouts

2. Kijk uit voor die grapjas!
Selma Noort en Daniëlle Roothooft

3. Een beer in bad
Geertje Gort en Peter van Harmelen